ORÁCULOS DE MAIO

ORÁCULOS DE MAIO
Adélia Prado

EDITORA RECORD
RIO DE JANEIRO • SÃO PAULO

2021

CIP-BRASIL. CATALOGAÇÃO NA PUBLICAÇÃO
SINDICATO NACIONAL DOS EDITORES DE LIVROS, RJ
P915o
7. ed.

Prado, Adélia
Oráculos de maio / Adélia Prado.
7. ed. – Rio de Janeiro: Record, 2021.

ISBN 978-65-5587-328-3

1. Poesia brasileira. I. Título.

21-71710 CDD: 869.1
CDU: 82-1(81)

Leandra Felix da Cruz Candido – Bibliotecária – CRB-7/6135

Copyright © Adélia Prado, 1999

PROJETO GRÁFICO Luciana Facchini
ILUSTRAÇÃO Rafaela Pascotto

Todos os direitos reservados. Proibida a reprodução, armazenamento
ou transmissão de partes deste livro, através de quaisquer meios,
sem prévia autorização por escrito.

Texto revisado segundo o novo Acordo Ortográfico da Língua Portuguesa.

Direitos exclusivos desta edição reservados pela
EDITORA RECORD LTDA.
Rua Argentina, 171 – Rio de Janeiro, RJ
20921-380 – Tel.: (21) 2585-2000.

Impresso no Brasil

ISBN 978-65-5587-328-3

Seja um leitor preferencial Record.
Cadastre-se em www.record.com.br e receba informações
sobre nossos lançamentos e nossas promoções.

Atendimento e venda direta ao leitor:
sac@record.com.br

Quero vocativos para chamar-te, ó maio.

ROMARIA

O POETA FICOU CANSADO

Pois não quero mais ser Teu arauto.
Já que todos têm voz,
por que só eu devo tomar navios
de rota que não escolhi?
Por que não gritas, Tu mesmo,
 a miraculosa trama dos teares,
 já que Tua voz reboa
nos quatro cantos do mundo?
Tudo progrediu na terra
e insistes em caixeiros-viajantes
de porta em porta, a cavalo!
Olha aqui, cidadão,
repara, minha senhora,
neste canivete mágico:
corta, saca e fura,
é um faqueiro completo!
Ó Deus,
me deixa trabalhar na cozinha,
 nem vendedor nem escrivão,
me deixa fazer Teu pão.
Filha, diz-me o Senhor,
eu só como palavras.

O AJUDANTE DE DEUS

Invoquei o Santo Espírito,
Ele me disse: sofre,
come na paciência
esta amargura,
porque tens boca
e eu não.
Toma o pequeno cálice,
massa de cinza e fel
não transmutados.
É pão de mirra,
come.

SALVE RAINHA

A melancolia ameaça.
Queria ficar alegre
sem precisar escrever,
sem pensar
que labor de abelhas
e voo de borboletas
precisam desse registro.
Chorando seus casamentos
vejo mulheres que conheci na infância
como crianças felizes.
A vida é assim, Senhor?
Desabam mesmo
pele do rosto e sonhos?
Não é o que anuncio
— já vejo o fim destas linhas,
isto é um poema, tem ritmo,
obedece à ordem mais alta
e parece me ignorar.
Me acontecem maus sonhos:
a casa só tem uma porta,
casa-prisão,
paredes altas, cômodos estreitos.
Chamo pelo homem, ele já se foi,

quem se volta é um negro,
indiferente.
A criança que se perdera,
ou deixei perder-se de mim,
é um menino-lobo,
eu a encontro grunhindo,
com um casal velho de negros.
Por que os negros de novo?
Por que este sonho?
Gasto minhas horas em pedir socorro,
esgotando-me, monja extramuros,
em produzir espaços de silêncio
para encontrar Tua voz.
É medo meu apregoado amor,
uma fita gravada, meu contentamento.
O primeiro santo do Brasil
invocou para um pobre:
"Post-partum, Virgo Inviolata permansisti.
Dei Genitrix, intercede pro nobis."
Ó Virgem,
volte à minha alma a alegria,
também eu
estendo a mão a esta esmola.

O TESOURO ESCONDIDO

Tanto mais perto quanto mais remoto,
o tempo burla as ciências.
Quantos milhões de anos tem o fóssil?
A mesma idade do meu sofrimento.
O amor se ri de vanglórias,
de homens insones nas calculadoras.
O inimigo invisível se atavia
pra que eu não diga o que me faz eterna:
te amo, ó mundo, desde quando
irrebelados os querubins assistiam.
De pensamentos aos quais nada se segue,
a salvação vem de dizer: adoro-Vos,
com os joelhos em terra, adoro-Vos,
ó grão de mostarda aurífera,
coração diminuto na entranha dos minerais.
Em lama, excremento e secreção suspeitosa,
adoro-Vos, amo-Vos sobre todas as coisas.

STACCATO

Uma formiga me detém o passo,
aonde vais, celerado, que não me ajudas?
Mas não é dela a voz,
é dele interceptando-me,
o deus carente.
Se não lhe disser Vos amo,
sua dor nos congela.

HOMILIA

Quem dentre vós
dirá convictamente:
os alquimistas morreram
— aqueles simples —,
morreram os conquistadores,
os reis,
os tocadores de alaúde,
os mágicos.
Oh, engano!
A vida é eterna, irmãos,
aquietai-vos, pois, em vossas lidas,
louvai a Deus e reparti a côdea,
o boi, vosso marido e esposa
e sobretudo
e mais que tudo
a palavra sem fel.

DOMUS

Com seus olhos estáticos na cumeeira
a casa olha o homem.
A intervalos
lhe estremecem os ouvidos,
de paredes sensíveis,
discernentes:
agora é amor,
agora é injúria,
punhos contra a parede,
pânico.
Comove Deus
a casa que o homem faz para morar,
Deus
que também tem os olhos
na cumeeira do mundo.
Pede piedade a casa por seu dono
e suas fantasias de felicidade.
Sofre a que parece impassível.
É viva a casa e fala.

A BOA MORTE

Dona Dirce chorava a morte da filha
e com sincera dor o fazia,
estendendo a mão em direção ao café
que a irmã da morta servia.
Eu prestava atenção em Dona Dirce
que escutava Alzirinha, admirada:
...o médico me proibiu expressamente...
Alguém pôs a cara na porta procurando Dona Dirce:
A senhora sabe a placa da caminhonete do Artur?
Alzirinha não queria café, por motivo de regime,
era possível que Artur não fosse avisado a tempo.
A adolescente sardenta, visivelmente feliz,
chorava a morte da mãe.
Também eu quis chorar,
por diversos outros motivos,
mas era impossível ali,
celebrava-se a vida
sob as caras contritas,
sob os véus da morte,
mais que sete.
A cada desnudamento
ela própria cobria-se
visivelmente pra nos proteger:

Ninguém quer café mais não?
Modesta a morte, companheira,
nos consolando, quase da família.
Lucinda virou santa.
Não contei a ninguém,
pra não amolar a tristeza.

POEMA PARA MENINA-APRENDIZ

Hoje aqui em Divinópolis
está desesperador
mas ninguém escapará
à sedução da minha paciência.
A meninazinha insiste
em arrumar a cozinha para mim,
parece uma imperatriz: 'sai daqui'.
O homem sério insinua-se:
'te aprecio mais sem óculos',
um homem desanimador.
Pelo que disse
sobre a memória histórica da aldeia,
a edilidade vai me ovacionar;
no entanto,
se me escavarem nada encontrarão
a não ser desejo,
quase ingratidão.
Sai a romaria para Congonhas do Campo,
quero ir também,
pegar poeira por debaixo das unhas.
Tem mais alguma coisa pra lavar?
Tem, sim, o encardido da alma,
um grão de esperança lava.
Pode ir brincar, Beatriz.

DO AMOR

Assim que se é posto à prova,
na cinza do óbvio, quando
atrás de um caminhão vazando
o homem que pediu sua mão
informa:
'está transportando líquido'.
Podes virar santa se, em silêncio,
pões de modo gentil a mão no joelho dele
ou a rainha do inferno se invectivas:
claro, se está pingando,
querias que transportasse o quê?
Amar é sofrimento de decantação,
produz ouro em pepitas,
elixires de longa vida,
nasce de seu acre
a árvore da juventude perpétua.
É como cuidar de um jardim,
quase imoral deleitar-se
com o cheiro forte do esterco,
um cheiro ruim meio bom,
como disse o menino
quanto a porquinhos no chiqueiro.
É mais que violento o amor.

PORTUNHOL

Quero dizer
do corpo de Vosso Espírito no jardim,
uma luz sem crueza.
Disse-o?
Só aparentemente
divergem rosa e alecrim.
Um espelho é o que sou,
nem sempre turvo,
veem-se através de mim
os que me julgam clemente.
Entendes
é quando o corpo da luz te escapa
e resta na memória
uma claridade aquecida,
é quando dizes:
é inacreditável
tramas tão delicadas nos teares.
Os computadores sabem
que escrevi rosa com 'z',
corrigem-me como professores.
Bate um grande desejo
de torresmos,
garrafa inteira de vinhos,

freme num ponto a vida
— até hoje foi entre as pernas —,
desejo de *alabanza*,
um desejo de dança e *castañuelas*,
de falar lindamente errado:
"estou sentindo-me isso".
Ninguém discordará que Deus é amor.

SESTA COM FLORES

Temporal para Ofélia
é chuva que dura tempos.
Voltou de novo, no ouvido,
o barulhinho de telégrafo.
Vaca é nome invasivo,
o nome só, a vaca é boa.
Sofro de aristocracismo,
logo eu,
nascida em Córrego da Ferrosa.
Invadi filho uma vez,
quero ficar sem minha língua,
a repetir o que fiz.
À porta da escola
um menino doente
ajudava o outro a subir,
homem é muleta de Deus.
Não há descanso aqui,
estamos no exílio,
edificando móbiles na areia.
Os galos sabem,
cantam fora de hora
querendo apressar o dia,
tem deus, tem deus, tem deus,

gritam os recém-nascidos
e as dálias
com seu cheiro de morte e virgindade.
O barulhinho de telégrafo continua,
mas até faz dormir:
tem deus, tem deus, tem deus.

MEDITAÇÃO À BEIRA DE UM POEMA

Podei a roseira no momento certo
e viajei muitos dias,
aprendendo de vez
que se deve esperar biblicamente
pela hora das coisas.
Quando abri a janela, vi-a,
como nunca a vira,
constelada,
os botões,
alguns já com o rosa-pálido
espiando entre as sépalas,
joias vivas em pencas.
Minha dor nas costas,
meu desaponto com os limites do tempo,
o grande esforço para que me entendam
pulverizaram-se
diante do recorrente milagre.
Maravilhosas faziam-se
as cíclicas, perecíveis rosas.
Ninguém me demoverá
do que de repente soube
à margem dos edifícios da razão:
a misericórdia está intacta,

vagalhões de cobiça,
punhos fechados,
altissonantes iras,
nada impede ouro de corolas
e acreditai: perfumes.
Só porque é setembro.

MURAL

Recolhe do ninho os ovos
a mulher
nem jovem nem velha,
em estado de perfeito uso.
Não vem do sol indeciso
a claridade expandindo-se,
é dela que nasce a luz
de natureza velada,
é seu próprio gosto
em ter uma família,
amar a aprazível rotina.
Ela não sabe que sabe,
a rotina perfeita é Deus:
as galinhas porão seus ovos,
ela porá sua saia,
a árvore a seu tempo
dará suas flores rosadas.
A mulher não sabe que reza:
que nada mude, Senhor.

NOSSA SENHORA DA CONCEIÇÃO

Tenho dez anos
e caminho de volta à minha casa.
Venho da escola, da igreja,
da casa de Helena Reis, não sei,
mas piso, é certo, sobre trilha de areia,
pensando: vou ser artista.
Tenho um vestido, um sapato
e uma visão que não reconheço poética:
um mamoeiro com frutas sob muito sol e pardais.
Não a perderia porque era o bom-sem-fim,
como rosais, uma palavra anzol,
puxava calor, meio-dia, presas de ofídio,
diminuta aflição, gotículas,
porque a Virgem esmagava o demônio
com seu calcanhar rosado.
Só porque achei sua binga e seu pito
meu pai falou: eta menina de ouro!
Foi injusto outras vezes, mas perdeu tardes
atrás de sabugueiro para curar minha tosse.
Parece que vou entristecer-me,
desanimada de lavar hortaliças,
tentada ao jejum mais duro,
não como, não falo, não rio,

nem que o papa se vista de baiana.
Virgem Maria! o tempo quer me comer,
virei comida do tempo!
Me ajuda a parir esta ninhada de vozes,
me ajuda, senão
este conluio de sombras me sequestra,
me rouba o olho antigo e a paixão viva.

A RUA DA VIDA FELIZ

Ao sol do meio-dia
ela fica suspensa,
a fala de minha mãe
sossega as borboletas:
'flor bonita é no pé'.
Vi o quintal vibrando,
reagi brutamente
porque era inarticulável.
Quiseram me bater
por causa da minha cara
de quem tinha brincado com menino.
Só achei pra dizer:
Deus mora, mãe,
nunca morreu ninguém.

JUSTIÇA

Nos tinha à roda
ao peito
aos cachorros
diferente da moradora de posses
que ia à missa de carro
e a quem os meninos
não puxavam a saia.
Mas muito mais bonita
era nossa mãe.

MATER DOLOROSA

Este puxa-puxa
tá com gosto de coco.
A senhora pôs coco, mãe?
— Que coco nada.
— Teve festa quando a senhora casou?
— Teve. Demais.
— O quê que teve então?
— Nada não, menina, casou e pronto.
— Só isso?
— Só e chega.
Uma vez fizemos piquenique,
ela fez bolas de carne
pra gente comer com pão.
Lembro a volta do rio
e nós na areia.
Era domingo,
ela estava sem fadiga
e me respondia com doçura.
Se for só isso o céu,
está perfeito.

VASO NOTURNO

À meia-noite, José dos Reis
— que namoro escondido —
vem fazer serenata para mim.
Papai tosse alto,
tropeça por querer nos urinóis.
Que vergonha, meu deus,
pai, cachorrinha plebeia,
couves na horta
geladas de orvalho e medo.
Me finjo de santa morta,
meu céu é gótico
e arde.

O INTENSO BRILHO

É impossível no mundo
estarmos juntos
ainda que do meu lado
adormecesses.
O véu que protege a vida
nos separa.
O véu que protege a vida
nos protege.
Aproveita, pois,
que é tudo branco agora,
à boca do precipício,
neste vórtice
e fala
nesta clareira aberta pela insônia,
quero ouvir tua alma,
a que mora na garganta
como em túmulos
esperando a hora da ressurreição,
fala meu nome,
antes que eu retorne
ao dia pleno,
à semiescuridão.

INVITATÓRIO

De onde estou vejo através da chuva
a torre do Bom Jesus,
alguma árvore, casas,
a desolação me toma.
A vida inteira para estar aqui
neste domingo,
nesta cidade sem história,
nesta chuva
mensageira de um medo
que não o de relâmpagos,
pois é mansa.
É inapelável morrer?
Não há um álibi, um fato novo,
um homem novo portador de alvíssaras?
Quatro meninos entram no matagal
e retornam fumando,
batendo o cisco da roupa.
Uma negra sobe a ladeira, um velho,
alguém joga o lixo
por um buraco no muro,
tudo como em mil novecentos e setenta e seis.
Por que se erra?
Queria escrever mil setecentos e noventa e seis,

que mecanismo desviou-me?
Há um cheiro no ar
que – para meu susto – mais ninguém percebe,
um cheiro de metal
que me fere as narinas,
cheiro de ferro.
Nada tem sentido,
quero uma bacia grande
para catar as partes e montá-las
quando as visitas se forem.
Ninguém me logra, pois não há ninguém,
é uma fita antiga de um cinema mudo,
os lábios movem-se e é só.
Senhor, Senhor Jesus, ouvi-me. Existo?
Faz tempo que não sonho, existo?
Responde-me, tem piedade de mim,
me dá a antiga alegria, os medos confortadores,
não este, este não, pois sou fraca demais.
Ouvi-me, pobre de mim,
Nossa Senhora da Conceição, valei-me.

PAIXÃO DE CRISTO

Apesar do vaso
que é branco,
de sua louça
que é fina,
lá estão no fundo,
majestáticas,
as que no plural
se convocam:
fezes.
Para que me insultem
basta um grama
de felicidade:
'baixe o tom de sua voz,
não acredite tanto
em seu poder'.
O martírio é incruento
mas a dor é a mesma.

HISTÓRIA DE JÓ

Porque fazes
e calcas aos pés tua pobre criatura,
teu sofrimento é enorme, deus,
a dor de tua consciência ingovernada.
Difícil me acreditares,
pois tenho um céu na boca.
Tem piedade de nós,
dá um sinal de que não foi um erro,
ilusão de medrosos,
fantasia gerada na penúria,
a crença de que és bom.
O medo regride à sua estação primeva,
à sua luz branca.
E quero a vida nos álbuns:
assim eram as avós e suas criadas negras.
Não posso ir aos teatros,
convocada que sou pra esta vigília
de segurar teu braço pusilânime,
eu criatura digo-Te, coragem.
Perdoa-me, contudo, perdoa-me.

PEDIDO DE ADOÇÃO

Estou com muita saudade
de ter mãe,
pele vincada,
cabelos para trás,
os dedos cheios de nós,
tão velha,
quase podendo ser a mãe de Deus
– não fosse tão pecadora.
 Mas esta velha sou eu,
minha mãe morreu moça,
os olhos cheios de brilho,
a cara cheia de susto.
Ó meu Deus, pensava
que só de crianças se falava:
as órfãs.

MULHER AO CAIR DA TARDE

Ó Deus,
não me castigue se falo
minha vida foi tão bonita!
Somos humanos,
nossos verbos têm tempos,
não são como o Vosso,
eterno.

A DISCÍPULA

Bendita a espécie extinta,
a que voltou ao repouso em sua origem
e não peregrina mais,
benditos todos que no cativeiro
por ânsia de eternidade multiplicam-se,
bendito o modo como tudo é feito.
Ancestrais, luxuoso nome
para quem apenas errou antes de nós!
Benditos,
bendita a hora da tarde
em que uma serva repousa
descansada de dor e de consolo.

MEDITAÇÃO DO REI NO MEIO DE SUA TROPA

Só à conta de biógrafos pertencem
os grandes feitos de homens memoráveis.
Biografias são desejos,
ainda as dos malfeitores e as dos santos.
A vida, a pura,
a crua e nua vida
é cascalho,
teatrinho de sombras
que a mão de uma criança faz mover.
Como aves migrando a estações mais quentes
a comando invisível prosseguimos
e perfilados somos até felizes.

ARGUIÇÃO DA SOBERBA

O que de pronto se mostra
palpitante e acabado
vazando precioso entre cacófatos
se ri do poeta
ocupado em limpar textículos:
ó truão,
no poema como no quadro
os olhos estão no umbigo.

OFICINA

Podem gritar
as cigarras
e as serras dos carpinteiros.
Nunca serão funestas,
fatiam a tarde
que continua inconsútil.
O mundo é ininteligível,
mas é bom.

OUTUBRO

El macaquito diria
se falasse espanhol
mas só sei português
e bater um coco no outro
ignorante e atrevida.
Outubro me dá desejos
secretos e confessáveis.
Grito alto
pelos mesmos motivos das cigarras.

DIREITOS HUMANOS

Sei que Deus mora em mim
como sua melhor casa.
Sou sua paisagem,
sua retorta alquímica
e para sua alegria
seus dois olhos.
Mas esta letra é minha.

TAL QUAL UM MACHO

Comi em frente da televisão
sem usar faca
e repeti o prato
como os caminhoneiros que falam de boca cheia
e vi um programa até o fim.
Até altas da madrugada
fiquei vendo a moças rebolantes
locutores boçais dizerem
segura meu microfone, gracinha.
Depois fui dormir e sonhei,
voava perseguida por soldados
um voo medroso
temendo me embaraçar na rede elétrica.
Acordei com decepção e ânsias,
macho verdadeiro
sonharia com rebolâncias.

O SANTO

O padre marxista está cansado.
Deu-se conta
quando viu passar a carroça
entufada de cana verde
e falou sem saber por quê:
mãe, ô mãe, mãezinha,
minha querida mãe.
Nunca mais pregou.
Diz o povo
que pegou fama de santo.

A DIVA

Vamos ao teatro, Maria José?
Quem me dera,
desmanchei em rosca quinze quilos de farinha,
tou podre. Outro dia a gente vamos.
Falou meio triste, culpada,
e um pouco alegre por recusar com orgulho.
TEATRO! Disse no espelho.
TEATRO! Mais alto, desgrenhada.
TEATRO! E os cacos voaram
sem nenhum aplauso.
Perfeita.

EX-VOTO

Na tarde clara de um domingo quente
surpreendi-me,
intestinos urgentes, ânsia de vômito, choro,
desejo de raspar a cabeça e me pôr nua
no centro da minha vida e uivar
até me secarem os ossos:
que queres que eu faça, Deus?
Quando parei de chorar
o homem que me aguardava disse-me:
você é muito sensível, por isso tem falta de ar.
Chorei de novo porque era verdade
e era também mentira,
sendo só meio consolo.
Respira fundo, insistiu, joga água fria no rosto,
vamos dar uma volta, é psicológico.
Que ex-voto levo à Aparecida,
se não tenho doença e só lhe peço a cura?
Minha amiga devota se tornou budista,
torço para que se desiluda
e volte a rezar comigo as orações católicas.
Eu nunca ia ser budista,
por medo de não sofrer, por medo de ficar zen.
Existe santo alegre ou são os biógrafos

que os põem assim felizes como bobos?
Minas tem coisas terríveis,
a Serra da Piedade me transtorna.
Em meio a tanta rocha
de tão imediata beleza,
edificações geridas pelo inferno,
pelo descriador do mundo.
O menino não consegue mais,
vai morrer, sem forças para sugar
a corda de carne preta do que seria um seio,
agora às moscas.
Meu coração é bom
mas não aceita que o seja.
O homem me presenteia,
por que tanto recebo,
quando seria justo mandarem-me à solitária?
Palavras não, eu disse, só aceito chorar.
Por que então limpei os olhos
quando avistei roseiras
e mais o que não queria,
de jeito nenhum queria àquela hora,
o poema,
meu ex-voto,

não a forma do que é doente,
mas do que é são em mim
e rejeito e rejeito,
premida pela mesma força
do que trabalha contra a beleza das rochas?
Me imploram amor Deus e o mundo,
sou pois mais rica que os dois,
só eu posso dizer à pedra:
és bela até à aflição;
o mesmo que dizer a Ele:
sois belo, belo, sois belo!
Quase entendo a razão da minha falta de ar.
Ao escolher palavras com que narrar minha angústia,
eu já respiro melhor.
A uns Deus os quer doentes,
a outros quer escrevendo.

QUATRO
POEMAS
NO DIVÃ

ANAMNESE

Na hora mais calma do dia
o frango assustado
atravessou o terreiro
em desabalado viés.
Era carijó,
minha mãe era viva,
eu era muito pequena.
Sem palavra para o despropósito
ela falou:
frango mais bobo.
Comecei a chorar,
era como estar sem calcinhas.

O SANTO ÍCONE

A despeito do meu desejo
de contrição e alegria,
amanheci rancorosa,
regirando a cabeça
à cata de um facão.
O cachorro percebeu,
a criança também,
se escondendo de mim
no colo de sua mãe.
Havia dito:
por que não me atendes, Deus?
Ou alguém rezava para mim?
Me olhando da parede
a Virgem Nossa Senhora
me oferecia o seu menino
à lâmina.
Eu que delirava à noite
em tempo mais-que-perfeito
porque Portugal fizera
O Tratado de Tordesilhas,
me rindo muito de abóboras,
da palavra e da coisa,

parei desafadigada
de que todas elas
não se chamassem caçambas.
Como o louco que de repente
dispensa enfermeiro e pílulas,
cortei canas com o facão
e fiquei chupando na sombra.

SHOPSI

Hoje completa um ano
que estou fazendo terapia.
— E o que você conta ao doutor?
— Que tenho medo panifóbico
de ver minha mãe morrer.
— Só isso?
— Só. Coisa à toa,
feito não comer três dias
porque vi formiga de asas,
isso eu não conto mesmo,
só converso coisa séria.
— E ele?
— É muito paciencioso,
diz que meu caso é difícil
mas tem cura com o tempo
e qualquer dia me convida
para uma sessão no sítio.
— Você topa?
— Tou pensando,
vai que aparece lá
uma formiga de asas
e apronto aquele escândalo,

me diz com que cara eu volto
no consultório do homem!
— Mas ele está lá pra isso.
— Isso o quê?
— Tchauzinho, Catarina, tchau.

NEUROLINGUÍSTICA

Quando ele me disse
ô linda,
pareces uma rainha,
fui ao cúmice do ápice
mas segurei meu desmaio.
Aos sessenta anos de idade,
vinte de casta viuvez,
quero estar bem acordada,
caso ele fale outra vez.

POUSADA

VIAÇÃO SÃO CRISTÓVÃO

Não quero morrer nunca,
porque temo perder o que desta janela
se desdobra em tesouros.
É Bar Barranco? Bar Barroso? Bar Barroco?
Em frente à estação do trem
a agropecuária explica-se:
é de Carmo da Mata.
Fica meio inventado
pegar com um nome a medula das coisas,
porque o ônibus para,
mas a vida não,
porque a vida sois Vós, Inominável!
Meu marido gosta muito de sexo,
mas é também um esposo
capaz de abstinências prolongadas.
O morador se esmera em seu jardim,
com um ódio tão profundo
que parece inocente,
guilhotina o vizinho da reluzente janela.
Estais comovido?
Uma hora e meia de viagem
e a vida é boa que dói.
Os pastos estão bem secos,

mas continuam imbatíveis
no seu poder de me remeterem...
A Vós? À infância?
À Pátria, ao Reino do Céu.
Que posso fazer? Isto é um poema.
Sinto muita fome, quero uma missa aqui.
Os trabalhadores acenam com o polegar para cima,
fica tudo ainda mais tranquilo.
Terei adormecido?
Cochilar é tão feio.
Me fez muito feliz o cientista:
"beleza é energia".
Sabia sem o saber,
vai me ajudar bastante.
O ônibus parou de novo.
Os tratores escavam,
a terra cada vez mais pura.
Derrubam algumas árvores,
mas ecologia tem hora.
Que força tem um trator!
Engraçado ele arremessando a árvore,
todo mundo parado, olhando.
É bom ver homem no pesado
e mulher vigiando menino,
a instrução reservada ao padre.

Estou como quando jovem,
a inteligência muito ignorante.
Pode ser que o ônibus demore,
não ligo, não tem importância,
já fui, já voltei e, além do mais,
não quero sair daqui.

NA TERRA COMO NO CÉU

Nesta hora da tarde
quando a casa repousa
a obra de minhas mãos
é esta cozinha limpa.
Tão fácil
um dia depois do outro
e logo estaremos juntos
nas "colinas eternas".
Recupera meu corpo
um modo de bondade,
a que me torna capaz
de produzir um verso.
Compreendes-me, Altíssimo?
Ele não responde,
dorme também a sesta.

PRESENÇA

Malefício nenhum resiste
ao encantamento da hora
em que percebo as cúpulas,
até um zimbório
eu vejo na mesquita,
até cruz no santuário
— e são árvores na bruma
à luz reflexa da tarde.
O olho de Deus me vê,
o olho amoroso dele.

FILHINHA

Deus não é severo mais,
suas rugas, sua boca vincada
são marcas de expressão
de tanto sorrir pra mim.
Me chama a audiências privadas,
me trata por Lucilinda,
só me proíbe coisas
visando meu próprio bem.
Quando o passeio
é à borda de precipícios,
me dá sua mão enorme.
Eu não sou órfã mais não.

CRISTAIS

NO BATER DAS PÁLPEBRAS

Se tudo estiver silente,
menos um grilo
— velado, não estridente —,
a casa mora.

À MESA

Faca oxidada contra a polpa verde,
    é roxo o amor.
    De amoras, não.
        De dor.

A CONVERTIDA

A liturgia,
o ícone,
o monacato.
Descobri que sou russa.

ARTE

Das tripas,
coração.

NO CÉU

Os militantes
os padecentes
os triunfantes
seremos só amantes.

MITIGAÇÃO DA PENA

O céu estrelado
vale a dor do mundo.

ORÁCULOS
DE MAIO

EXERCÍCIO ESPIRITUAL

Maria,
roga a teu Filho que me mostre o Pai.
Imagens sobrevêm:
homem, vinheta, instrumento,
o que ameaça ser um leque de penas
e é uma cabeça de naja,
a perigosa serpente.
Quero ver o Pai, insisto,
roga a teu Filho que me mostre o Pai.
Um dente, uma vulva,
um molho de nabos comparecem,
gerados, como eu, do nada.
De onde vêm os nabos, Maria?
Onde está o Pai?
De onde vim?
Move-se na parede um cavalo de sol.
É o Pai?
Não,
é só uma sombra e já se desfaz.
O Pai, então, é uma usina?
Meu pai dizia: ó Pai!
E levantava os braços respeitoso.
Também meu avô: Deus é Pai!

E tirava o chapéu.
Assim, um pai remetendo a outro
e mais outro e outro mais,
enfim, a milhões de pais até Adão,
que sou eu acordando de um sonho,
apenas "raia sanguínea e fresca"
a madrugada, filha de parnasiano,
que me encantava quando eu era mocinha,
filha de ferroviário,
cansada agora
como feirante ao meio-dia:
ai, meu pai,
me ajuda a torrar o resto
deste lote de abóboras,
me tira da cabeça
a ideia de ver Deus-Pai,
me dá um pito e um café.

NOSSA SENHORA DAS FLORES

Acostuma teus olhos ao negrume do pátio
e olha na direção onde ao meio-dia
cintilava o jardim.
A rosa miúda em pencas
destila inquietações,
peleja por abortar teu passeio noturno.
Há mais que um cheiro de rosas,
o movimento das palmas não será o réptil?
Ó Mãe da Divina Graça,
vem com tua mão poderosa,
mata este medo pra mim.

ESTAÇÃO DE MAIO

A salvação opera nos abismos.
Na estação indescritível,
o gênio mau da noite me forçava
com saudade e desgosto pelo mundo.
A relva estremecia
mas não era para mim,
nem os pássaros da tarde.
Cães, crianças, ladridos
despossuíam-me.
Então rezei: salva-me, Mãe de Deus,
antes do tentador com seus enganos.
A senhora está perdida?
disse o menino,
é por aqui.
Voltei-me
e reconheci as pedras da manhã.

AURA

Em maio a tarde não arde
em maio a tarde não dura
em maio a tarde fulgura.

SINAL NO CÉU

É um tom de laranja
sobre os montes
um pensamento inarticulado
de que a Virgem
pôs o mundo no colo
e passeia com ele nos rosais.

TEOLOGAL

Agora é definitivo:
uma rosa é mais que uma rosa.
Não há como deserdá-la
de seu destino arquetípico.
Poetas que vão nascer
passarão noites em claro
rendidos à forma prima:
a rosa é mística.

MARIA

Aí está a rosa,
defendida de lógica e batismo,
a inquebrantável,
a Virgem!

NEOPELICANO

*Então se lhes abriram os olhos e o reconheceram,
mas ele desapareceu.*
LC 24,31

NEOPELICANO

Um dia,
como vira um navio
pra nunca mais esquecê-lo,
vi um leão de perto.
Repousava,
a *anima* bruta indivídua.
O cheiro forte, não doce,
cheiro de sangue a vinagre.
Exultava, pois não tinha palavras
e não tê-las prolongava-me o gozo:
é um leão!
Só um deus é assim, pensei.
Sobrepunha-se a ele
um outro e novo animal
radiando na aura
de sua cor maturada.
Tem piedade de mim, rezei-lhe
premida de gratidão
por ser de novo pequena.
Durou um minuto a sobre-humana fé.
Falo com tremor:
eu não vi o leão,
eu vi o Senhor!

SUMÁRIO

ROMARIA

9 O poeta ficou cansado

10 O ajudante de Deus

11 Salve Rainha

13 O tesouro escondido

14 *Staccato*

15 Homilia

16 *Domus*

17 A boa morte

19 Poema para menina-aprendiz

20 Do amor

21 Portunhol

23 Sesta com flores

25 Meditação à beira de um poema

27 Mural

28 Nossa Senhora da Conceição

30 A rua da vida feliz

31 Justiça

32 *Mater dolorosa*

33 Vaso noturno

34 O intenso brilho

35 Invitatório

37 Paixão de Cristo

38 História de Jó

39 Pedido de adoção

40 Mulher ao cair da tarde

41 A discípula
42 Meditação do rei no meio de sua tropa
43 Arguição da soberba
44 Oficina
45 Outubro
46 Direitos humanos
47 Tal qual um macho
48 O santo
49 A diva
50 Ex-voto

QUATRO POEMAS NO DIVÃ
55 Anamnese
56 O santo ícone
58 Shopsi
60 Neurolinguística

POUSADA
63 Viação São Cristóvão
66 Na terra como no céu
67 Presença
68 Filhinha

CRISTAIS

71 No bater das pálpebras
72 À mesa
73 A convertida
74 Arte
75 No céu
76 Mitigação da pena

ORÁCULOS DE MAIO

79 Exercício espiritual
81 Nossa Senhora das Flores
82 Estação de maio
83 Aura
84 Sinal no céu
85 Teologal
86 Maria

NEOPELICANO

89 Neopelicano

Este livro foi composto
na tipografia Gambetta,
em corpo 10,8/15, e impresso
em papel Pólen Bold 90 g/m²,
na gráfica Ipsis.